这是我的书
It's MY BOOK
7级：400字

小虫西西

西西找朋友

作者：晓白（Xiao Bai）
插图：孔德晴（Deqing Kc

北京语言大学出版社
BEIJING LANGUAGE AND CULTURE UNIVERSITY PRESS

PHOENIX TREE
PHOENIX TREE PUBLISHING INC.

识读 树洞 自言自语 也许
好几次

句型 ……（的）时候，
……应该……

字数 389字

zǎo shang tài yáng gāng gāng shēng qi xiǎo chóng
早上，太阳刚刚升起，小虫
xī xī jiù cóng shù dòng li pá le chu lai tā yào
西西就从树洞里爬了出来——它要
chū mén zhǎo péng you fēng qīng qīng de chuī zhe yún màn
出门找朋友。风轻轻地吹着，云慢
màn de piāo zhe xī xī yì biān pá yì biān dōng kàn
慢地飘着，西西一边爬，一边东看
kan xī kàn kan
看、西看看。

xī xī jiàn dào le jǐ zhī hé tā yí yàng de
西西见到了几只和它一样的
xiǎo chóng zi hǎo jǐ cì dōu xiǎng gēn tā men dǎ zhāo
小虫子，好几次都想跟它们打招
hu kě shì tā bù hǎo yì si xiān kāi kǒu nà xiē
呼，可是它不好意思先开口。那些
xiǎo chóng zi kàn le kàn xī xī yě yì shēng bù xiǎng
小虫子看了看西西，也一声不响
de cóng tā shēn biān pá zǒu le
地从它身边爬走了。

tài yáng yào xià shān le xī xī yí gè péng
太阳要下山了，西西一个朋

you yě méi zhǎo dào tā tàn le kǒu qì zì yán zì
友也没找到。它叹了口气，自言自

yǔ de shuō yào shi tā men xiān kāi kǒu gēn wǒ shuō
语地说：“要是它们先开口跟我说

huà wǒ yě yí dìng huì gēn tā men shuō huà de zhè
话，我也一定会跟它们说话的，这

yàng wǒ men jiù néng chéng wéi péng you le
样我们就能成为朋友了。”

hū rán xī xī xiǎng dào yě xǔ tā men

忽然，西西想到：“也许它们

hé wǒ yí yàng dōu zài děng zhe duì fāng xiān kāi kǒu

和我一样，都在等着对方先开口

ne wèi shén me wǒ bù néng xiān kāi kǒu ne xià

呢！为什么我不能先开口呢？下

cì yí dìng yào shì yi shì

次一定要试一试！”

qián miàn yòu yǒu yì zhī xiǎo chóng zi pá guo lai

前面又有一只小虫子爬过来

le xī xī zhāng le zhāng zuǐ hái shi méi yǒu shuō

了。西西张了张嘴，还是没有说

huà nà zhī xiǎo chóng zi hěn hài xiū de kàn zhe xī

话。那只小虫子很害羞地看着西

xī hǎo xiàng yě xiǎng shuō diǎnr shén me dàn shì

西，好像也想说点儿什么，但是

tā shén me yě méi yǒu shuō jiù pá zǒu le

它什么也没有说就爬走了。

xī xī míng bai le zài zhè ge shí hou
西西明白了："在这个时候，
wǒ yīng gāi zài yǒng gǎn yì diǎnr xiān hé tā shuō
我应该再勇敢一点儿，先和它说
huà xī xī yì biān xiǎng yì biān huí tóu kàn
话！"西西一边想一边回头看——
à nà zhī xiǎo chóng zi yě zhèng zhuǎn shēn kàn zhe tā
啊！那只小虫子也正转身看着它
ne
呢。

nǐ hǎo xī xī xiān kāi kǒu shuō wǒ
"你好！"西西先开口说，"我
men zuò péng you ba nà zhī xiǎo chóng zi yě shuō
们做朋友吧！"那只小虫子也说：
hǎo a hǎo a wǒ men zuò péng you ba tā
"好啊好啊！我们做朋友吧！"它
men biān shuō biān xiàng duì fāng pá guo qu kàn jiàn zhè
们边说边向对方爬过去。看见这
yí duì xīn péng you xī biān shān dǐng shang de tài yáng
一对新朋友，西边山顶上的太阳
yě xiào le xiào de liǎn dōu hóng le
也笑了，笑得脸都红了。

1 早上，太阳刚刚升起，小虫西西就从树洞里爬了出来——它要出门找朋友。风轻轻地吹着，云慢慢地飘着，西西一边爬，一边东看看、西看看。

2 西西见到了几只和它一样的小虫子，好几次都想跟它们打招呼，可是它不好意思先开口。那些小虫子看了看西西，也一声不响地从它身边爬走了。

3 太阳要下山了，西西一个朋友也没找到。它叹了口气，自言自语地说："要是它们先开口跟我说话，我也一定会跟它们说话的，这样我们就能成为朋友了。"

4 忽然，西西想到："也许它们和我一样，都在等着对方先开口呢！为什么我不能先开口呢？下次一定要试一试！"

5 前面又有一只小虫子爬过来了。西西张了张嘴，还是没有说话。那只小虫子很害羞地看着西西，好像也想说点儿什么，但是它什么也没有说就爬走了。

6 西西明白了："在这个时候，我应该再勇敢一点儿，先和它说话！"西西一边想一边回头看——啊！那只小虫子也正转身看着它呢。

7 "你好！"西西先开口说，"我们做朋友吧！"那只小虫子也说："好啊好啊！我们做朋友吧！"它们边说边向对方爬过去。看见这一对新朋友，西边山顶上的太阳也笑了，笑得脸都红了。

看图讲故事